4 주완성
왕초보
히브리어
성경읽기

KB075585

4th Week

SUHYUN BOOKS

수현북스

왕초보 원어성경읽기 홈페이지에서 저자 정보와 강의 정보를 참고하세요.

https://wcb.modoo.at

4주완성 왕초보 히브리어 성경읽기 – 4주차 문장읽기

발　　행 | 2024 년 7 월 25 일
저　　자 | 허동보
기　　획 | 수현교회 출판부
편집 · 디자인 | 허동보

발 행 인 | 허동보
발 행 처 | 수현북스
등록번호 | 2024.06.28 (제 2024-000094 호)
주　　소 | 경기도 용인시 기흥구 공세로 150-29, B01-G444 호

ISBN | 979-11-988320-5-4
가 격 | 8,000원

목 차

제 1 장 문장읽기 선수학습

1. 히브리어 단어 기본형

『4주완성 왕초보 히브리어 성경읽기』제3권을 지나 제4권까지 오신 여러분을 환영합니다. 3주차에 여러분이 학습하신 단어들이 혹시 기억나시나요? 3주차에 여러분이 공부하신 단어들은 자주 등장하는 단어임에도 불구하고 히브리어 성경에서 보기는 쉽지 않습니다. 왜냐하면, 3주차에 발음을 익히기 위해 공부하신 단어들은 전부 기본형이기 때문입니다.

어디선가 동사, 명사 같은 용어들을 들어보셨을 겁니다. 동사動詞는 '움직일 동'자를 써서 움직임을 나타내는 단어입니다. 명사名詞는 '이름 명'자를 써서 어떤 사물이나 물상의 이름을 나타냅니다. 앞서 언급했듯이 히브리어에는 기본형이 있는데, 기본형에서 모양이 변하게 됩니다. 모양이 어떻게 변하는지에 대해서는 문법 시간에 따로 배우도록 하겠습니다. 기초 과정의 목적은 히브리어로 작문하거나 대화를 하는 것이 아니라, 히브리어 성경을 읽을 수 있도록 하는 것이기 때문입니다.

명사와 동사 말고도 형용사, 전치사, 대명사 등이 있습니다. 형용사는 상태를 나타내는 단어입니다. 전치사는 영어의 in, on, of, for 같은 단어를 말합니다. 히브리어에서 전치사는 בְּ, כְּ, לְ 등으로 단어의 제일 앞에 붙는 경우가 많습니다. 그리고 וָ바브 연계형 역시 단어의 앞에 붙기 때문에 구별이 어려운 경우도 종종 있습니다. 단어의 제일 앞에 וָ바브가 나오면 대부분은 바브 연계형이라

생각하시면 됩니다. 그렇다고 해서 큰 의미는 없습니다. 그냥 끊어 읽는다고 생각하면 됩니다. 왜냐하면, 우리는 작문이나 회화를 하려고 히브리어를 공부하는 것이 아니라, 히브리어 성경을 읽는 것이 목적이기 때문입니다.

이 말도 어렵게 들릴 수 있습니다. 하지만, 본 교재를 통해 실제로 읽어가다 보면, 무슨 이야기인지 이해할 수 있게 될 것입니다. 단지, 히브리어 단어들은 '기본형'이 있다는 것. 그 기본형 단어의 앞에 글자가 붙거나 뒤에 글자가 붙어서 '누가', '언제', '어디서', 어떻게 하였는지를 알 수 있다는 것 정도를 이해하고 넘어가시면 됩니다. 일단 읽을 수 있어야 문법도 이해할 수 있으니, 너무 조급하게 생각하진 않으시길 바랍니다.

2. 히브리어 문장부호

히브리어 문장을 읽기 위해서는 문장부호를 몇 가지 알고 지나가야 합니다. 우리말도 마침표나 쉼표가 있듯이 히브리어도 마침표를 비롯한 몇 개의 문장부호가 있습니다. 당연한 이야기겠지만, 문장부호의 이름은 중요하지 않습니다. 단지 해당 문장부호가 어떤 역할을 하는지 정도는 아는 것이 히브리어 성경을 읽을 때 수월해집니다.

מַקֵּף^{maqaf}는 영어의 hyphen^{하이픈}과 같습니다. 두 단어 이상을 마치 한 단어처럼 묶어주는 역할을 합니다. 시편 1편 1절을 보면, אַשְׁרֵי와 הָאִישׁ가 막카프로 연결되어 אַשְׁרֵי־הָאִישׁ라고 적혀 있습니다. 이런 경우 한 단어처럼 연결해서 읽어주면 됩니다.

פָּסֵק^{paseq}는 막카프와 반대입니다. 막카프가 두 단어를 하나로 묶어주는

역할을 한다면, 이 파세크는 두 개의 단어가 합쳐져 발음되는 것을 막아주는 역할을 합니다. 예를 들어보면, 첫 단어의 마지막 글자와 다음 단어의 첫 글자가 מַ ׀ שָׁלוֹם와 같이 겹치게 되는 경우 구분하기 위해 가운데에 세로줄처럼 생긴 파세크가 들어갑니다. 혹은 동일하거나 유사한 단어가 קְדֹ ׀ קֹדֶן처럼 반복될 경우, אֱלֹהִים ׀ רֶשַׁע처럼 완전 모순된 두 단어 사이 등에 사용되는 문장부호가 바로 파세크입니다.

히브리어의 마침표에 해당하는 문장부호는 ׃ 입니다. 이 문장부호의 이름은 סוֹף פָּסוּק$^{sof\ pasuq}$입니다. 모양은 마치 히브리어 모음인 ׃세바를 확대해 놓은 것 같기도 하고, 영어 키보드 자판의 ׃콜론과 거의 흡사한 모양입니다. 컴퓨터용 폰트로는 조금씩 다른 경우가 있지만, 책에 있는 모양을 자세히 보면 다이아몬드 모양의 점이 두 개 찍힌 것 같습니다. 영어나 우리말의 경우 점 하나만 찍어서 문장의 마침을 나타내지만, 히브리어는 점 두 개로 한 문장이 끝나는 것을 알려줍니다.

כְּתִיב^{ketiv}와 קְרֵי^{qere}는 쓰고 읽기의 구분입니다. 히브리어 성경을 읽다보면, [הַוֹצֵא כ] (הַיָּצֵא ק) 처럼 구분되어진 곳을 볼 수 있습니다. '케티브'^{ketiv}는 [ ]대괄호로 묶여 있으며, '퀘레'는 ( )괄호로 묶여 있습니다. 케티브는 전통적 단어의 기록방식대로 기록했다는 표시이고, 퀘레는 해당 단어의 권고하는 발음을 나타냅니다. 예를 들면, "'꽃'이라고 쓰고, '너'라고 읽는다."라는 것과 비슷합니다. 쓰는 법과 읽는 법을 구분한 이유는 다양합니다. 상스러운 세속 단어에 대한 완곡적 표현인 경우도 있고, 불완전한 단어를 보완한 경우도 있으며, 신에 대한 거룩함을 보호하기 위한 수단인 경우도 있습니다.

마지막으로 פָּרָשָׁה^{parasha}가 있습니다. '파라샤'^{parasha}는 단락 기호입니다. 히브리어 단락 기호에는 두 가지가 있는데, 각각 פְּתוּחָה^{페투하}와 סְתוּמָה^{세투마}라고 부릅니다. 두 개의 단락 기호는 '열린 부분'과 '닫힌 부분'으로 구분하지만, 굳이 따로 구분할 필요는 없습니다. 단지 '단락을 구분하는 기호' 정도로 생각하면 됩니다. 히브리어 성경에서 페투하와 세투마는 아래와 같이 마침표 뒤에 פ나 ס로 표기됩니다.

פ 페투하	וְנֹחַ מָצָא חֵן בְּעֵינֵי יְהוָה: פ	창 6:8
ס 세투마	וַיַּעַשׂ נֹחַ כְּכֹל אֲשֶׁר צִוָּה אֹתוֹ אֱלֹהִים כֵּן עָשָׂה: ס	창 6:22

문장부호는 지금 소개한 다섯 종류 말고도 많이 있습니다. 그러나 히브리어 성경을 읽어 나가기 위해서는 이 정도만 알아도 큰 무리가 없습니다. 그렇다고 해서 이 문장부호들을 지금 당장 외우려고 할 필요는 없습니다. 항상 말씀드리듯이 우리는 성경을 읽어 나가면서 천천히 몸에 젖어들게 하면 됩니다. 언어는 학문이 아니라 습관입니다. 굳이 사용할 필요가 없는 문법을 외우느라 시간을 보내는 것보다 단어 한 번 더 읽어보는 것이 더 중요합니다.

3. 액센트

히브리어 성경을 보면, 모음이나 앞서 소개한 문장부호들 외에도 단어에 작은 기호들이 많이 있습니다. 히브리어 성경은 원래 모음이나 액센트 기호가 없었습니다. 모음과 액센트 기호는 맛소라 학자들이 연구하여 창안해 낸 것들입니다. 유대인이 아닌 경우 모음이 없이 히브리어 성경을 읽기는 거의 불가능합니다. 이 액센트는 문장을 이해하는데 중요한 역할을 합니다.

히브리어 액센트는 무려 스물 여섯 가지가 있습니다. 각각의 액센트는 마치 음악 용어 '프레이즈'*phrase*나 '모티프'*motif*처럼 몇 개의 음을 가진 한 마디, 혹은 몇 마디 정도의 길이를 갖고 있습니다. 문장이라는 악보 안에서 단어의 수식이나 음의 길이, 특징 등을 자연스럽게 이어줍니다. 이렇듯 액센트는 음악적 기능을 갖고 있습니다. 또한 성경 낭독을 정확하게 할 뿐만 아니라 음성적 기능을 통해 본문의 번역과 해석에도 영향을 줍니다. 아울러 액센트를 통해 해당 단어가 어느 구, 어느 절에 속해야 하는지를 알려주고 그 문장에서 어느 정도 중요한지를 알려주는 통사적 기능을 갖고 있습니다. [1]

그러나 우리는 이 액센트를 군이 배우거나 외우지 않을 것입니다. 우리 목표는 히브리어 성경을 분석하거나 해석하는 것에 있지 않고, 단지 읽어나가는 것에 있기 때문입니다. "왕초보 히브리어 성경읽기"는 히브리어 기초반입니다. 신생아에게 '아빠', '엄마'부터 가르쳐야지 '부친', '생모' 같은 단어를 가르치진 않습니다. 액센트에 대한 부담감은 전혀 안 가지셔도 됩니다. 액센트를 몰라도 우리 목표를 이루는 것에는 전혀 상관이 없습니다. 액센트에 대한 부담은 전혀 가지지 않으셔도 괜찮습니다.

4. ﬩바브와 :쉐바

알파벳이나 모음에서 어느 것이 더 중요하고, 어느 것이 덜 중요하다며 경중을 따질 수는 없습니다. 어느 한 글자라도 모르면, 히브리어 성경을 읽을 수조차 없기 때문입니다. 그러나 그 중에서라도 군이 경중을 따지자면, 알파벳에서 가장 중요한 글자는 바브입니다. 그리고 모음에서 가장 중요한 기호는 쉐바입니

---

[1] 권성달, 『성경원문연구 제23호: 성경 히브리어 액센트에 대한 고찰』(대한성서공회, 2008), pp 103-121

다. 이것들은 왜 중요할까요? 당연한 말이겠지만, 첫째로 자주 등장하고, 둘째로 헷갈리는 경우가 많기 때문입니다.

우선 ו는 대부분이 접속사 ו인 경우가 많습니다. 형태는 וֹ, וּ, וָ, וְ 등 다양합니다. 모양은 다양하지만, 'וְכֹל', 'וַיְהִי', 'וּמֵחוּץ'처럼 모두 단어의 앞에 붙어서 '과/와', '그리고' 혹은 '또한' 정도로 해석됩니다. 이 말은 단어의 첫 글자로 ו 접속사가 나올 때 끊어 읽으면 된다는 말입니다. 시편 1:1 절을 예로 들어보겠습니다.

אַשְׁרֵי־הָאִישׁ אֲשֶׁר ׀ לֹא הָלַךְ בַּעֲצַת רְשָׁעִים וּבְדֶרֶךְ חַטָּאִים לֹא
עָמָד וּבְמוֹשַׁב לֵצִים לֹא יָשָׁב׃

이 문장을 어떻게 끊어 읽으면 될까요?

첫번째로 보이는 것은 세로줄처럼 보이는 문장부호 '파세크'입니다. 두번째로 보이는 וּבְדֶרֶךְ 와 וּבְמוֹשַׁב는에서 사용된 ו는 '접속사'입니다. '그리고'라는 뜻으로 붙인 접속사 ו ^{바브}입니다. 그래서, 이 문장^{시편 1:1}을 단락별로 끊어 읽는다면, 아래와 같이 끊어 읽으면 됩니다.

אַשְׁרֵי־הָאִישׁ אֲשֶׁר ׀ /

לֹא הָלַךְ בַּעֲצַת רְשָׁעִים /

וּבְדֶרֶךְ חַטָּאִים לֹא עָמָד /

וּבְמוֹשַׁב לֵצִים לֹא יָשָׁב׃

이렇게 접속사 ו ^{바브}만 잘 기억하고 있어도 문장 읽기에 있어서 어느 정도는 잘 끊어 읽을 수 있게 됩니다.

다음으로 ְ ^{쉐바}를 한 번 볼까요?

:쉐바는 '단순쉐바'와 '합성쉐바'가 있습니다. 우리가 일반적으로 이야기하는 :쉐바는 단순쉐바를 말합니다. 단순쉐바는 발음이 '에'인 경우도 있고, 묵음이 되는 경우가 있습니다. 단어의 가장 첫 글자에 나오는 단순쉐바, 다게쉬가 붙은 자음 아래에 있는 단순쉐바, 장모음 뒤에 오는 단순쉐바는 거의 '에'로 읽으면 됩니다. 반면, 단모음 뒤에 오는 단순쉐바는 '묵음'처리 되며, 연속하여 쉐바가 두 번 사용될 경우에는 앞의 쉐바는 '묵음', 뒤의 쉐바는 '에' 발음이 됩니다. 이에 대해서는 아래 표를 참고하세요.

구 분	조 건	예 시
'에' 발음	단어의 첫 글자	וְהָיָה
	다게쉬와 함께	הַמְלָנִים
	장모음 뒤	כֹּתְבִים
묵음	단모음 뒤	חֶרְפָּה
	연속해서 나올 때	יִשְׁמְרוּ

합성쉐바란 쉐바가 붙은 모음, 즉 -: 하텝파타, ::: 하텝세골, ִ: 하텝카메츠를 말합니다.

쉐바에 대해서 더 깊이 살펴볼 수 있지만, 우리 목적이 문법이나 작문, 혹은 회화가 아니기 때문에 간략하게 설명하는 정도로만 지나가도록 하겠습니다. 방금 설명했던 :쉐바나 ובַ에 관한 내용도 군이 외울 필요는 없습니다. 이런 내용이 여기에 있었다는 것만 기억하시면 됩니다. 나머지는 실제로 히브리어 성경을 읽어가면서 하나하나 따라가다 보면 몸에 자연스럽게 젖어들게 됩니다.

히브리어 알파벳 표

형 태	이 름	꼬리형	형 태	이 름	꼬리형
א	알렙		מ	멤	ם
ב	베트		נ	눈	ן
ג	기믈		ס	싸멕	
ד	달렛		ע	아인	
ה	헤		פ	페	ף
ו	바브		צ	차디	ץ
ז	자인		ק	코프	
ח	헤트		ר	레쉬	
ט	테트		שׁ	신	
י	요드		שׁ	쉰	
כ	카프	ך	ת	타브	
ל	라메드				

히브리어 알파벳송

알-렙 벳 기-믈 달-렛 헤 바-브 자-인 헽 테-트 요-드 카-프
א ב ג ד ה ו ז ח ט י כ

라-메드 멤-눈-싸-멕 아인 페 차-디 코프 레-쉬 신 쉰 타-브
ל מ נ ס ע פ צ ק ר שׁ שׁ ת

히브리어 모음표

	A 아	E 에	I 이	O 오	U 우
장모음	אָ	אֵ		אֹ	
	카메츠	체레		홀렘	
		אֵי	אִי	אוֹ	אוּ
		체레요드	히렉요드	홀렘바브	슈렉
반모음	אֲ	אֱ		אֳ	
	하텝파타	하텝세골		하텝카메츠	
단모음	אַ	אֶ	אִ	אָ	אֻ
	파타	세골	히렉	카메츠하툽	케부츠
		אְ			
		쉐바			
י 가 자음으로 쓰일 때 (이중모음)	יָ יַ	יֵ יְ יֶ	יִ	יֹ יוֹ	יֻ יוּ
	야	예	이	요	유

제 2 장 히브리어 문장 읽기

알파벳과 모음, 그리고 단어를 충분히 따라 읽고 쓰면서 여기까지 오신 분들은 이제 문장을 읽을 수 있는 모든 준비가 완료되었습니다. 만약 아직 많이 부족하다고 생각하신다면, 그것은 자신감의 부족일 것입니다. 문장을 읽을 때도 입과 눈과 귀가 사랑의 연합을 이루어야 합니다. 한 글자씩 눈으로 보면서, 발음을 꼭 입으로 따라하며 자신의 귀에 들리도록 읽어야 합니다. 문장을 읽을 때 역시 천천히 주의하면서 오른쪽에서 왼쪽으로 읽습니다.

주의사항

1. 부가설명을 굳이 외우려고 하지 마세요. 지금은 문장을 읽어 나가는 것이 목적입니다. 쓰면서 읽고, 읽으면서 쓰는 즐거움을 누리셨다면, 이젠 읽는 즐거움만 누리시길 바랍니다. 단어에 대한 설명은 그냥 '참고 사항' 정도로만 여기고 넘어가세요. 가장 중요한 것은 **한 글자씩 천천히 입으로 크게 따라 읽기** 입니다!

2. 히브리어 발음은 우리말과 많이 다릅니다. 표기된 발음은 참고만 하시기 바랍니다.

3. 발음을 빨리 익히기 위해서는 표시를 해두는 것이 좋습니다. 특히 ː쉐바가 묵음이 될 때 혹은 모음기호 중 ˛이 '아' 발음이 아니라 '오' 발음인 '카메츠 하툽'일 때 등 모음기호에 작은 동그라미를 그려보세요. 훨씬 빠르게 익힐 수 있습니다.

4 주완성 왕초보 히브리어 성경읽기

4 주차

1st Day

첫째날

수현북스

시편 1편

אַֽשְׁרֵי־הָאִישׁ אֲשֶׁר ׀ לֹא הָלַךְ בַּעֲצַת רְשָׁעִים 1

וּבְדֶרֶךְ חַטָּאִים לֹא עָמָד וּבְמוֹשַׁב לֵצִים לֹא יָשָׁב:

① אַֽשְׁרֵי־הָאִישׁ^{아쉬레-하이쉬}는 영어의 ^{하이픈}-과 기능이 같은 ־막카프로 연결되어 있습니다. 한 단어라고 생각하고 연결해서 읽으면 됩니다.

② אֲשֶׁר^{아셰르}다음에는 세로줄 모양의 '파세크'가 등장합니다. 여기에서 한 번 끊어주면 됩니다.

③ לֹא^로 הָלַךְ^{할라크} בַּעֲצַת^{바아차트} רְשָׁעִים^{레샤임} 다음에 접속사 וְ(וּ)가 나옵니다. 접속사 וְ앞까지, 즉 רְשָׁעִים^{레샤임}까지 읽고 끊어주면 됩니다. רְשָׁעִים^{레샤임}에서 ר^{레쉬} 아래에 있는 쉐바는 단어의 첫 글자 아래에 있기 때문에 '에'발음이 됩니다.

④ וּבְדֶרֶךְ^{우베데레크} חַטָּאִים^{할타임} לֹא^로 עָמָד^{아마드} 다음에 또 접속사 וְ가 나옵니다. עָמָד^{아마드}까지 읽고 끊어주면 됩니다. וּבְדֶרֶךְ^{우베데레크}에서 בְ^{베트}에 붙은 쉐바는 וּ가 장모음이기 때문에 '에'발음이 됩니다.

⑤ 나머지 וּבְמוֹשַׁב^{우베모샤브} לֵצִים^{레침} לֹא^로 יָשָׁב^{야샤브}까지 읽어주면 됩니다.

⑥ 그리고 마침표가 등장합니다. 한 문장이 끝났습니다.

시편 1편

1 אַשְׁרֵי־הָאִישׁ אֲשֶׁר ׀ לֹא הָלַךְ בַּעֲצַת רְשָׁעִים
וּבְדֶרֶךְ חַטָּאִים לֹא עָמָד וּבְמוֹשַׁב לֵצִים לֹא יָשָׁב:

---

① 묵음인 :쉐바 에 동그라미를 그려 표시해 보세요.

② 접속사 וּ 바브 앞에 사선을 그어 끊어 읽기를 표시해 보세요.

③ 세로줄 모양의 '파세크'를 찾아 표시하세요. '파세크'는 끊어 읽는 표시입니다.

④ ־ 막카프 로 이어진 단어는 한 단어처럼 읽으세요.

⑤ '이중점'이 있는 단어를 주의해서 읽으세요.

설명을 보지 않고 천천히 스스로 한 번 읽어보세요.

시편 1편

1 אַשְׁרֵי־הָאִישׁ אֲשֶׁר ׀ לֹא הָלַךְ בַּעֲצַת רְשָׁעִים

וּבְדֶרֶךְ חַטָּאִים לֹא עָמָד וּבְמוֹשַׁב לֵצִים לֹא יָשָׁב:

위 QR코드를 스마트폰으로 촬영하시면
히브리어 알파벳송 영상을 보실 수 있습니다.

첫째날 과제를 잘 마무리했다면, 날짜를 적어 보세요.

과제완료일 : 20   년   월   일

4 주완성 왕초보 히브리어 성경읽기

4 주차

2nd Day

둘째날

수현북스

시편 1편

2 כִּי אִם בְּתוֹרַת יְהוָה חֶפְצוֹ וּבְתוֹרָתוֹ יֶהְגֶּה יוֹמָם וָלָיְלָה:

① בְּתוֹרַת ^{베토라트}에서 בְּ ^베는 '~에', '~안에' 등의 뜻을 가진 전치사입니다. 단어의 첫 글자에 붙은 다게쉬는 경강점입니다. 경강점이 붙어있는 글자에 사용된 쉐바는 '에' 발음이 됩니다.

② יְהוָה ^야는 우리말 성경에서 '여호와'라고 번역된 단어입니다. 히브리어 발음대로 읽으면 [yeva] 정도의 발음이 되지만, 사실 이 단어는 하나님의 이름이기 때문에 마치 우리가 아버지의 이름을 함부로 부르지 않듯이 이 단어의 발음대로 직접 읽지 않고 '주님'을 뜻하는 אֲדֹנָי ^{아도나이}로 읽습니다. 유대인들은 히브리어 성경에 나오는 모든 יְהוָה ^야를 '아도나이'로 읽습니다.

③ חֶפְצוֹ ^{헤프초}라는 단어에서 ֶ ^{세골}은 단모음입니다. 단모음 뒤에 붙은 쉐바는 '묵음'이 됩니다. 그래서 '헤페초'가 아니라 '헤프초' 혹은 '헾초' 정도의 발음이 됩니다.

④ יֶהְגֶּה ^{예흑게}에서 역시 마찬가지로 쉐바는 단모음인 세골 뒤에 있으므로 묵음이 됩니다. גּ ^{기믈}에 붙은 다게쉬는 '이중점'이므로, 기믈이 하나 복사되어 앞 글자에 달라붙습니다. 그래서 '예흑게'가 됩니다.

시편 1편

2 כִּי אִם בְּתוֹרַת יְהוָה חֶפְצוֹ וּבְתוֹרָתוֹ יֶהְגֶּה יוֹמָם
וָלָיְלָה:

---

① 묵음인 : ᵂ에 동그라미를 그려 표시해 보세요.

② 접속사 ᵂ 앞에 사선을 그어 끊어 읽기를 표시해 보세요.

③ '이중점'이 있는 단어를 주의해서 읽으세요.

설명을 보지 않고 천천히 스스로 한 번 읽어보세요.

시편 1편

2 כִּי אִם בְּתוֹרַת יְהוָה חֶפְצוֹ וּבְתוֹרָתוֹ יֶהְגֶּה יוֹמָם
וָלָיְלָה:

위 QR코드를 스마트폰으로 촬영하시면
히브리어 알파벳송 영상을 보실 수 있습니다.

둘째날 과제를 잘 마무리했다면, 날짜를 적어 보세요.

과제완료일 : 20   년   월   일

4 주완성 왕초보 히브리어 성경읽기

4 주차

3rd Day

셋째날

수현북스

시편 1편

3   וְהָיָה כְּעֵץ שָׁתוּל עַל־פַּלְגֵי מַיִם אֲשֶׁר פִּרְיוֹ ׀ יִתֵּן בְּעִתּוֹ

וְעָלֵהוּ לֹא־יִבּוֹל וְכֹל אֲשֶׁר־יַעֲשֶׂה יַצְלִיחַ׃

① כְּעֵץ에서 כ에 붙은 다게쉬는 경강점입니다. 경강점은 בּ, גּ, דּ, כּ, פּ, תּ 베가드케파트에만 붙습니다. 그리고 단어의 첫 글자에 붙은 다게쉬는 무조건 경강점입니다. 물론 발음이 크게 달라지는 것은 아니기에 큰 의미는 없습니다. 다만, 이중점과는 구분이 됩니다.

② פִּרְיוֹ 피르요는 פּ에 경강점이 찍혀 있습니다. 그리고 פּ에 붙어 있는 모음 . 히렉이 단모음이므로 ר에 붙은 쉐바는 묵음이 됩니다.

③ 세로줄 모양의 '파세크'는 끊어 읽는 표시입니다.

④ יִתֵּן의 תּ에 붙은 다게쉬는 이중점입니다. '이텐'이 아니라 '잍텐'으로 읽어야 합니다. 이중점이 붙은 경우, 해당 자음 글자는 하나가 더 복사되어 앞 글자에 받침처럼 붙는다는 것을 잊지 마세요.

⑤ יַצְלִיחַ는 '야츨리하'가 아니라 '야츨리아흐'로 읽습니다. חַ는 단어의 마지막에 올 때, 모음을 먼저 읽습니다. חַ가 단어의 마지막에 오면 무조건 '하'가 아니라 '아흐'로 읽으시면 됩니다. 대표적인 단어로는 '성령, 영, 호흡, 숨' 등의 뜻을 가진 רוּחַ 루아흐가 있습니다.

시편 1 편

3 וְהָיָה כְּעֵץ שָׁתוּל עַל־פַּלְגֵי מָיִם אֲשֶׁר פִּרְיוֹ ׀ יִתֵּן בְּעִתּוֹ
וְעָלֵהוּ לֹא־יִבּוֹל וְכֹל אֲשֶׁר־יַעֲשֶׂה יַצְלִיחַ:

① 묵음인 ː 쉐바에 동그라미를 그려 표시해 보세요.

② 접속사 וּ 바브앞에 사선을 그어 끊어 읽기를 표시해 보세요.

③ 세로줄 모양의 '파세크'를 찾아 표시하세요. '파세크'는 끊어 읽는
표시입니다.

④ ־ 막카프로 이어진 단어는 한 단어처럼 읽으세요.

⑤ 단어의 마지막 글자로 오는 ח의 발음은 '아흐'라는 것을 잊지 마세요.

설명을 보지 않고 천천히 스스로 한 번 읽어보세요.

시편 1편

3 וְהָיָה כְּעֵץ שָׁתוּל עַל־פַּלְגֵי מַיִם אֲשֶׁר פִּרְיוֹ ׀ יִתֵּן בְּעִתּוֹ
וְעָלֵהוּ לֹא־יִבּוֹל וְכֹל אֲשֶׁר־יַעֲשֶׂה יַצְלִיחַ׃

위 QR코드를 스마트폰으로 촬영하시면
히브리어 알파벳송 영상을 보실 수 있습니다.

셋째날 과제를 잘 마무리했다면, 날짜를 적어 보세요.

과제완료일 : 20 　　 년 　　 월 　　 일

4주완성 왕초보 히브리어 성경읽기

4주차

4th Day

넷째날

수현북스

시편 1편

4 לֹא־כֵן הָרְשָׁעִים כִּי אִם־כַּמֹּץ אֲשֶׁר־תִּדְּפֶנּוּ רוּחַ׃

① הָרְשָׁעִים에서 הָ는 장모음입니다. 따라서 רְ에 붙어 있는 쉐바는 묵음이 아니라 '에' 발음이 됩니다.

② לֹא־כֵן은 '막카프'로 연결되어 있습니다. 한 단어처럼 읽으면 됩니다.

③ אֲשֶׁר־תִּדְּפֶנּוּ와 אִם־כַּמֹּץ는 '막카프'로 연결되어 있습니다. 각각 한 단어처럼 읽으면 됩니다. כַּמֹּץ^{카모츠}에서 כַּ는 자음에 경강점이 붙어 있지만, מֹּ에는 이중점이 붙어 있습니다. 마찬가지로 תִּדְּפֶנּוּ^{틴데펜누}에서 תִּ는 자음에 경강점이 붙어 있지만, דְּ에는 이중점이 붙어 있습니다. 이중점이 붙은 글자에서 쉐바는 '에' 발음이 됩니다.

④ חַ는 단어의 마지막 글자로 올 경우, 모음을 먼저 읽습니다. חַ가 단어의 마지막 글자로 오면 무조건 '하'가 아니라 '아흐'로 읽으시면 됩니다. '성령, 영, 호흡, 숨' 등의 뜻을 가진 רוּחַ^{루아흐}가 대표적인 단어입니다.

시편 1편

4   לֹא־כֵן הָרְשָׁעִים כִּי אִם־כַּמֹּץ אֲשֶׁר־תִּדְּפֶנּוּ רוּחַ:

---

① ⁻ ^{막카프}로 이어진 단어는 한 단어처럼 읽으세요.

② '이중점'이 있는 단어를 주의해서 읽으세요.

③ 단어의 마지막 글자로 오는 חַ의 발음은 '아흐'라는 것을 잊지 마세요.

설명을 보지 않고 천천히 스스로 한 번 읽어보세요.

시편 1편

4   לֹא־כֵן הָרְשָׁעִים כִּי אִם־כַּמֹּץ אֲשֶׁר־תִּדְּפֶנּוּ רוּחַ׃

위 QR코드를 스마트폰으로 촬영하시면
히브리어 알파벳송 영상을 보실 수 있습니다.

넷째날 과제를 잘 마무리했다면, 날짜를 적어 보세요.

과제완료일 : 20   년   월   일

4주완성 왕초보 히브리어 성경읽기

4주차

5th Day

다섯째날

수현북스

시편 1편

עַל־כֵּן ׀ לֹא־יָקֻמוּ רְשָׁעִים בַּמִּשְׁפָּט וְחַטָּאִים בַּעֲדַת 5
צַדִּיקִים׃

---

① 세로줄 모양의 '파세크'는 끊어 읽는 표시입니다.

② לֹא־יָקֻמוּ과 עַל־כֵּן는 '막카프'로 연결되어 있습니다. 한 단어처럼 읽으면 됩니다.

③ בַּמִּשְׁפָּט에서 בַּ는 경강점, מִּ는 이중점, פָּ는 이중점입니다. 경강점과 이중점을 잘 구분하는 이유는 발음과 직접적 연관성이 있기 때문입니다.

④ בַּמִּשְׁפָּט에서 שְׁ에 붙은 쉐바는 단모음 뒤에 나오는 쉐바이므로 묵음이 됩니다.

⑤ 아직 해석을 배우지 않아 어려울 수 있지만, 전치사를 구분하는 것이 좋습니다. עַל־כֵּן에서의 עַל과 בַּמִּשְׁפָּט에서의 בַּ, בַּעֲדַת에서의 בַּ는 모두 전치사 בְּ이며, וְחַטָּאִים에서의 וְ는 접속사입니다. 히브리어 문장에서 전치사와 접속사를 구분하면 훨씬 부드럽게 읽을 수 있습니다. 히브리어에서 전치사와 접속사는 그 종류가 많지 않습니다.

시편 1편

5 עַל־כֵּן ׀ לֹא־יָקֻמוּ רְשָׁעִים בַּמִּשְׁפָּט וְחַטָּאִים בַּעֲדַת
צַדִּיקִים׃

① ^{막카프} ⁻ 로 이어진 단어는 한 단어처럼 읽으세요.

② '이중점'이 있는 단어를 주의해서 읽으세요. 단어의 첫 글자로 오는
다게쉬는 이중점이 아니라 무조건 경강점입니다.

③ ׀^{파세크} 가 등장하면, 끊어 읽으세요.

④ ׃^{쉐바} 는 단모음 뒤에서 묵음이 됩니다.

설명을 보지 않고 천천히 스스로 한 번 읽어보세요.

시편 1편

5 עַל־כֵּן ׀ לֹא־יָקֻמוּ רְשָׁעִים בַּמִּשְׁפָּט וְחַטָּאִים בַּעֲדַת

צַדִּיקִים:

위 QR코드를 스마트폰으로 촬영하시면
히브리어 알파벳송 영상을 보실 수 있습니다.

다섯째날 과제를 잘 마무리했다면, 날짜를 적어 보세요.

과제완료일 : 20   년   월   일

4 주완성 왕초보 히브리어 성경읽기

4 주차

6th Day

여섯째날

수현북스

시편 1편

כִּי־יוֹדֵעַ יְהוָה דֶּרֶךְ צַדִּיקִים וְדֶרֶךְ רְשָׁעִים תֹּאבֵד׃   6

① כִּי는 접속사입니다. 히브리어 성경에서 접속사 וְ나 정관사 הַ와 더불어 아주 많이 보실 수 있는 단어입니다.

② כִּי־יוֹדֵעַ는 '막카프'로 연결되어 있으므로 한 단어처럼 읽으면 됩니다.

③ יְהוָה는 하나님의 이름입니다. 그대로 읽으면 [yeva] 로 발음해야 하지만, 자음과 모음의 발음대로 읽지 않고 '아도나이'로 읽습니다.

④ דֶּרֶךְ의 דֶּ는 단어의 첫 글자이므로 이중점이 아닌, 경강점입니다.

⑤ צַדִּיקִים의 דִּ는 단어의 첫 글자가 아니므로 이중점입니다. ד가 이중으로 작용해서 '찬디킴'으로 발음됩니다.

⑥ וְדֶרֶךְ에서의 וְ는 접속사입니다.

⑦ רְשָׁעִים에서 ְ쉐바는 단어의 첫 글자에 있으므로 '에' 발음이 되어 '뤠샤임'이 됩니다.

시편 1편

6   כִּי־יוֹדֵעַ יְהוָה דֶּרֶךְ צַדִּיקִים וְדֶרֶךְ רְשָׁעִים תֹּאבֵד׃

① ^{막카프} ־ 로 이어진 단어는 한 단어처럼 읽으세요.

② '이중점'이 있는 단어를 주의해서 읽으세요. 단어의 첫 글자에 붙은 다게쉬가 아니면, 대부분 이중점입니다.

③ ^{쉐바}ְ 는 단어의 첫 글자의 모음으로 오면 '에' 발음입니다.

설명을 보지 않고 천천히 스스로 한 번 읽어보세요.

시편 1편

6   כִּי־יוֹדֵעַ יְהוָה דֶּרֶךְ צַדִּיקִים וְדֶרֶךְ רְשָׁעִים תֹּאבֵד:

위 QR코드를 스마트폰으로 촬영하시면
히브리어 알파벳송 영상을 보실 수 있습니다.

여섯째날 과제를 잘 마무리했다면, 날짜를 적어 보세요.

과제완료일 : 20   년   월   일

וַיְכַל אֱלֹהִים בַּיּוֹם הַשְּׁבִיעִי מְלַאכְתּוֹ אֲשֶׁר עָשָׂה
וַיִּשְׁבֹּת בַּיּוֹם הַשְּׁבִיעִי מִכָּל־מְלַאכְתּוֹ אֲשֶׁר עָשָׂה:

하나님의 지으시던 일이 일곱째 날이 이를 때에 마치니
그 지으시던 일이 다하므로 일곱째 날에 안식하시니라

창세기 2:2

히브리어 성경읽기 기초 과정을 잘 마치셨습니다.

보너스로 수록된 성경 본문으로 꾸준히 연습해 보세요.

BONUS
Chapter

수현북스

תְּהִלִים א

1 אַשְׁרֵי־הָאִישׁ אֲשֶׁר ׀ לֹא הָלַךְ בַּעֲצַת רְשָׁעִים

וּבְדֶרֶךְ חַטָּאִים לֹא עָמָד וּבְמוֹשַׁב לֵצִים לֹא יָשָׁב:

2 כִּי אִם בְּתוֹרַת יְהֹוָה חֶפְצוֹ וּבְתוֹרָתוֹ יֶהְגֶּה יוֹמָם וָלָיְלָה:

3 וְהָיָה כְּעֵץ שָׁתוּל עַל־פַּלְגֵי מָיִם

אֲשֶׁר פִּרְיוֹ ׀ יִתֵּן בְּעִתּוֹ וְעָלֵהוּ לֹא־יִבּוֹל

וְכֹל אֲשֶׁר־יַעֲשֶׂה יַצְלִיחַ:

4 לֹא־כֵן הָרְשָׁעִים

כִּי אִם־כַּמֹּץ אֲשֶׁר־תִּדְּפֶנּוּ רוּחַ:

5 עַל־כֵּן ׀ לֹא־יָקֻמוּ רְשָׁעִים בַּמִּשְׁפָּט וְחַטָּאִים בַּעֲדַת צַדִּיקִים:

6 כִּי־יוֹדֵעַ יְהֹוָה דֶּרֶךְ צַדִּיקִים וְדֶרֶךְ רְשָׁעִים תֹּאבֵד:

תְּהִלִּים יה

15편 시편

1 מִזְמוֹר לְדָוִד

יְהֹוָה מִי־יָגוּר בְּאׇהֳלֶךָ מִי־יִשְׁכֹּן בְּהַר קׇדְשֶׁךָ׃

2 הוֹלֵךְ תָּמִים וּפֹעֵל צֶדֶק וְדֹבֵר אֱמֶת בִּלְבָבוֹ׃

3 לֹא־רָגַל ׀ עַל־לְשֹׁנוֹ

לֹא־עָשָׂה לְרֵעֵהוּ רָעָה וְחֶרְפָּה לֹא־נָשָׂא עַל־קְרֹבוֹ׃

4 נִבְזֶה ׀ בְּעֵינָיו נִמְאָס וְאֶת־יִרְאֵי יְהֹוָה

יְכַבֵּד נִשְׁבַּע לְהָרַע וְלֹא יָמִר׃

5 כַּסְפּוֹ ׀ לֹא־נָתַן בְּנֶשֶׁךְ וְשֹׁחַד עַל־נָקִי לֹא לָקָח

עֹשֵׂה־אֵלֶּה לֹא יִמּוֹט לְעוֹלָם׃

תְהִלִּים כג

시 23편

1 מִזְמוֹר לְדָוִד

יְהוָה רֹעִי לֹא אֶחְסָר:

2 בִּנְאוֹת דֶּשֶׁא יַרְבִּיצֵנִי עַל־מֵי מְנֻחוֹת יְנַהֲלֵנִי:

3 נַפְשִׁי יְשׁוֹבֵב יַנְחֵנִי בְמַעְגְּלֵי־צֶדֶק לְמַעַן שְׁמוֹ:

4 גַּם כִּי־אֵלֵךְ בְּגֵיא צַלְמָוֶת לֹא־אִירָא רָע

כִּי־אַתָּה עִמָּדִי שִׁבְטְךָ וּמִשְׁעַנְתֶּךָ הֵמָּה יְנַחֲמֻנִי:

5 תַּעֲרֹךְ לְפָנַי ׀ שֻׁלְחָן נֶגֶד צֹרְרָי

דִּשַּׁנְתָּ בַשֶּׁמֶן רֹאשִׁי כּוֹסִי רְוָיָה:

6 אַךְ ׀ טוֹב וָחֶסֶד יִרְדְּפוּנִי כָּל־יְמֵי חַיָּי

וְשַׁבְתִּי בְּבֵית־יְהוָה לְאֹרֶךְ יָמִים:

תְּהִלִים מג

시편 43편

1 שָׁפְטֵנִי אֱלֹהִים ׀ וְרִיבָה רִיבִי מִגּוֹי לֹא־חָסִיד
מֵאִישׁ־מִרְמָה וְעַוְלָה תְפַלְּטֵנִי:

2 כִּי־אַתָּה ׀ אֱלֹהֵי מָעוּזִּי לָמָה זְנַחְתָּנִי
לָמָּה־קֹדֵר אֶתְהַלֵּךְ בְּלַחַץ אוֹיֵב:

3 שְׁלַח־אוֹרְךָ וַאֲמִתְּךָ הֵמָּה יַנְחוּנִי
יְבִיאוּנִי אֶל־הַר־קָדְשְׁךָ וְאֶל־מִשְׁכְּנוֹתֶיךָ:

4 וְאָבוֹאָה ׀ אֶל־מִזְבַּח אֱלֹהִים אֶל־אֵל שִׂמְחַת
גִּילִי וְאוֹדְךָ בְכִנּוֹר אֱלֹהִים אֱלֹהָי:

5 מַה־תִּשְׁתּוֹחֲחִי ׀ נַפְשִׁי וּמַה־תֶּהֱמִי עָלָי
הוֹחִילִי לֵאלֹהִים כִּי־עוֹד אוֹדֶנּוּ יְשׁוּעֹת פָּנַי וֵאלֹהָי:

תְּהִלִּים סז

67 편 / II

1 לַמְנַצֵּחַ בִּנְגִינֹת מִזְמוֹר שִׁיר:

2 אֱלֹהִים יְחָנֵּנוּ וִיבָרְכֵנוּ יָאֵר פָּנָיו אִתָּנוּ סֶלָה:

3 לָדַעַת בָּאָרֶץ דַּרְכֶּךָ בְּכָל־גּוֹיִם יְשׁוּעָתֶךָ:

4 יוֹדוּךָ עַמִּים ׀ אֱלֹהִים יוֹדוּךָ עַמִּים כֻּלָּם:

5 יִשְׂמְחוּ וִירַנְּנוּ לְאֻמִּים כִּי־תִשְׁפֹּט
עַמִּים מִישׁוֹר וּלְאֻמִּים ׀ בָּאָרֶץ תַּנְחֵם סֶלָה:

6 יוֹדוּךָ עַמִּים ׀ אֱלֹהִים יוֹדוּךָ עַמִּים כֻּלָּם:

7 אֶרֶץ נָתְנָה יְבוּלָהּ יְבָרְכֵנוּ אֱלֹהִים אֱלֹהֵינוּ:

8 יְבָרְכֵנוּ אֱלֹהִים וְיִירְאוּ אֹתוֹ כָּל־אַפְסֵי־אָרֶץ:

תְּהִלִּים ע

시편 70편

1 לַמְנַצֵּחַ לְדָוִד לְהַזְכִּיר:

2 אֱלֹהִים לְהַצִּילֵנִי יְהוָה לְעֶזְרָתִי חוּשָׁה:

3 יֵבֹשׁוּ וְיַחְפְּרוּ מְבַקְשֵׁי נַפְשִׁי

יִסֹּגוּ אָחוֹר וְיִכָּלְמוּ חֲפֵצֵי רָעָתִי:

4 יָשׁוּבוּ עַל־עֵקֶב בָּשְׁתָּם הָאֹמְרִים הֶאָח ׀ הֶאָח:

5 יָשִׂישׂוּ וְיִשְׂמְחוּ ׀ בְּךָ כָּל־מְבַקְשֶׁיךָ

וְיֹאמְרוּ תָמִיד יִגְדַּל אֱלֹהִים אֹהֲבֵי יְשׁוּעָתֶךָ:

6 וַאֲנִי ׀ עָנִי וְאֶבְיוֹן אֱלֹהִים חוּשָׁה־לִּי

עֶזְרִי וּמְפַלְטִי אַתָּה יְהוָה אַל־תְּאַחַר:

תְּהִלִּים פז

87편/시편

1 לִבְנֵי־קֹרַח מִזְמוֹר שִׁיר יְסוּדָתוֹ בְּהַרְרֵי־קֹדֶשׁ׃

2 אֹהֵב יְהוָה שַׁעֲרֵי צִיּוֹן מִכֹּל מִשְׁכְּנוֹת יַעֲקֹב׃

3 נִכְבָּדוֹת מְדֻבָּר בָּךְ עִיר הָאֱלֹהִים סֶלָה׃

4 אַזְכִּיר ׀ רַהַב וּבָבֶל לְיֹדְעָי
הִנֵּה פְלֶשֶׁת וְצוֹר עִם־כּוּשׁ זֶה יֻלַּד־שָׁם׃

5 וּלֲצִיּוֹן ׀ יֵאָמַר אִישׁ וְאִישׁ יֻלַּד־בָּהּ וְהוּא יְכוֹנְנֶהָ עֶלְיוֹן׃

6 יְהוָה יִסְפֹּר בִּכְתוֹב עַמִּים זֶה יֻלַּד־שָׁם סֶלָה׃

7 וְשָׁרִים כְּחֹלְלִים כָּל־מַעְיָנַי בָּךְ׃

תְּהִלִּים קנ

시편 150편

הַלְלוּ יָהּ ׀ הַלְלוּ־אֵל בְּקָדְשׁוֹ הַלְלוּהוּ בִּרְקִיעַ עֻזּוֹ: 1

הַלְלוּהוּ בִגְבוּרֹתָיו הַלְלוּהוּ כְּרֹב גֻּדְלוֹ: 2

הַלְלוּהוּ בְּתֵקַע שׁוֹפָר הַלְלוּהוּ בְּנֵבֶל וְכִנּוֹר: 3

הַלְלוּהוּ בְתֹף וּמָחוֹל הַלְלוּהוּ בְּמִנִּים וְעוּגָב: 4

הַלְלוּהוּ בְצִלְצְלֵי־שָׁמַע הַלְלוּהוּ בְּצִלְצְלֵי תְרוּעָה: 5

כֹּל הַנְּשָׁמָה תְּהַלֵּל יָהּ הַלְלוּ־יָהּ: 6

왕초보 원어성경읽기 홈페이지에서 무료특강 정보도 확인하세요.

https://wcb.modoo.at

본 기초 과정은 초급 과정으로 이어집니다.

감사합니다.

4주완성 왕초보 히브리어 성경읽기 시리즈 (총4권)

허동보 목사의 『왕초보 히브리어 펜습자』가 업그레이드 되었습니다.

누구든 한 달만에 히브리어 성경을 읽을 수 있도록 만들어 주는 "왕초보 히브리어 성경읽기 강좌"의 교재가 업그레이드 되었습니다. 부족하나마 지난 『왕초보 히브리어 펜습자』만으로도 많은 분들이 실제로 한 달 만에 히브리어 성경을 읽을 수 있었습니다. 그러나 이에 만족하지 않고 수강생들이 더욱 효과적으로 공부할 수 있도록 다양한 각도에서 연구하고 더 많은 내용을 보강하여 『4주완성 왕초보 히브리어 성경 읽기』 시리즈를 출간하였습니다.

저자 허 동 보 목사

· 現 대한예수교장로회 수현교회 담임목사
· 現 "왕초보 히브리어 성경읽기" 강사
· 現 수현북스 대표
· 저서 『왕초보 히브리어 펜습자』
　　　『왕초보 헬라어 펜습자』
　　　『4주완성 왕초보 히브리어 성경읽기』 시리즈

왕초보 원어성경 홈페이지
https://wcb.modoo.at

이학재 저　　　　　　　　　　　　כתב Project 원어성경쓰기

케타브 프로젝트 쓰기성경 시리즈

히브리어와 헬라어로 성경을 필사해 보세요.

룻기	잠언	에스더	다니엘	일곱권의 소선지서

일곱권의 소선지서
(요나, 요엘, 학개, 말라기,
오바댜, 하박국, 스바냐)

시편 1　　시편 2　　시편 3　　시편 4　　시편 5

갈라디아서　에베소서　빌립보서　골로새서　요한서신들(요한 일, 이, 삼서)과
유다서